JEUX DE MOTS

dans la ferme

texte d'Annie Pimont

images de Marie-Anne Didierjean.

les poussins les oeufs le coq le renard

Jouons : A quels animaux appartiennent ces mots ?

un poulain

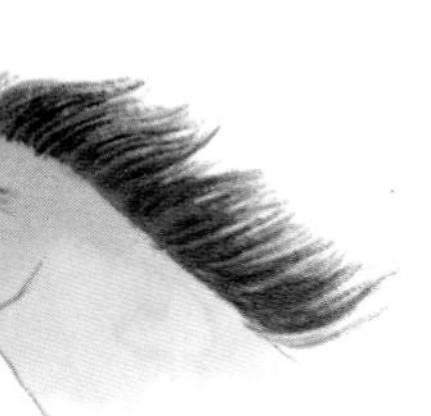
la crinière

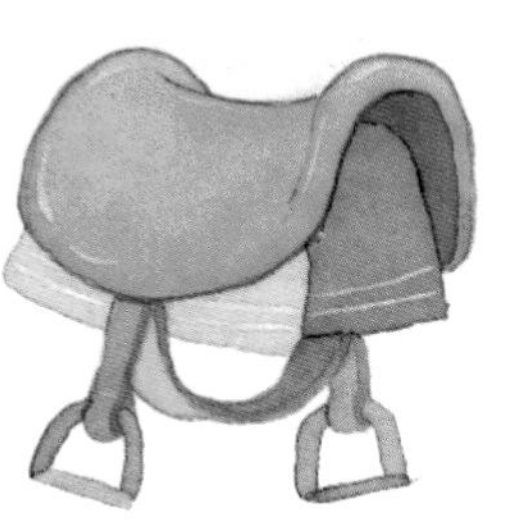
une selle

l'écurie

un agneau

un bélier

la laine

le berger

des cochonnets

le groin

la queue en tire-bouchon

la boue

le veau

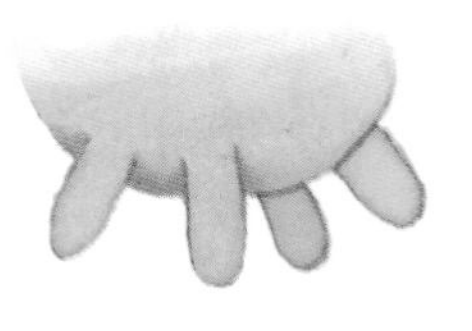
le pis

du lait

l'étable

ISBN 2.90698.778.6

Dépôt légal à date de parution.
Conforme à la Loi n°49-956 du 16 juillet 1949
sur les publications destinées à la jeunesse.
Imprimé en Belgique (04-2001).

la poule

La et ses petits
picorent dans la cour. Le fermier
ramasse les que la
a pondus. Tous les matins,
le chante. La nuit, toute
la famille dort dans le
poulailler, car le guette.
Il aimerait manger la .

les lapereaux

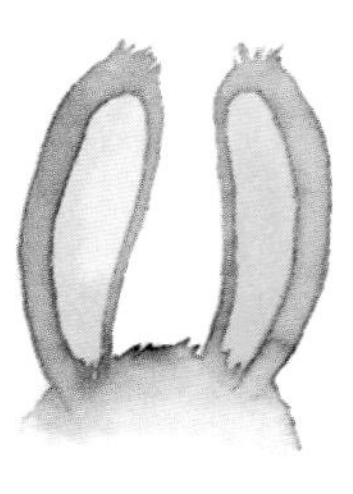

les oreilles

une cage

des carottes

le lapin

Le fermier élève le et ses petits dans une . Les petits du sont les Ils sont tout doux. Ils ont de grandes comme leur papa. Dans son panier, le fermier porte des . Quelle chance! C'est le repas préféré des .

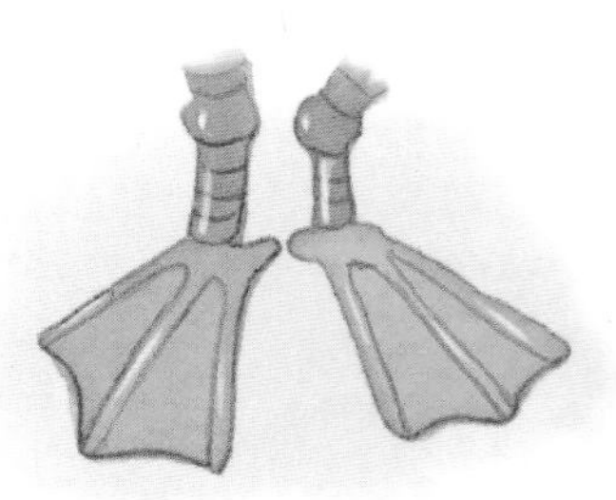

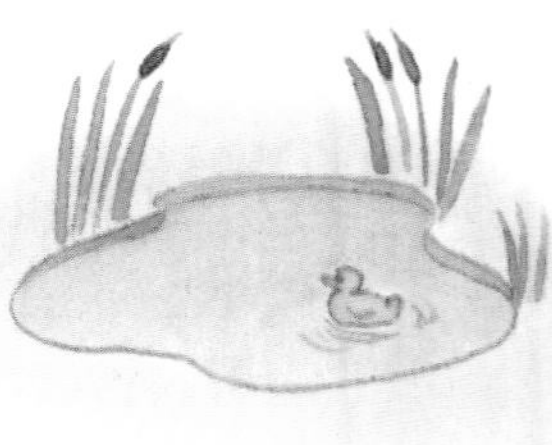

les canetons pieds palmés nager la mare

le canard

Le aime jouer dans l'eau

Il a des qui lui servent

à très vite. Les petits

barbotent dans la , sous

l'oeil attendri de maman cane

Les sont des bébés gloutons

qui adorent le pain que les

enfants lancent dans la

des cochonnets

le groin

la queue en tire-bouchon

la boue

le cochon

Le mange de tout, il gratte la terre avec son Le est sale, car il aime patauger dans la Les petits s'appellent des Ils tètent leur maman, la truie. Comme le , ils grognent. Ils ont une .

le veau

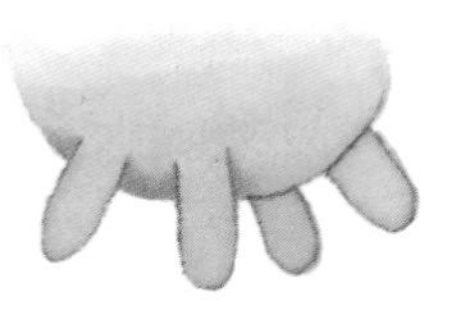

le pis

du lait

l'étable

la vache

La  broute de l'herbe, puis elle fabrique du  . Le matin et le soir, quand le  de la  est plein, la fermière doit la traire. Le petit  boit le bon  de sa maman. Il tète. La nuit, le  dort près de la  dans l'  .

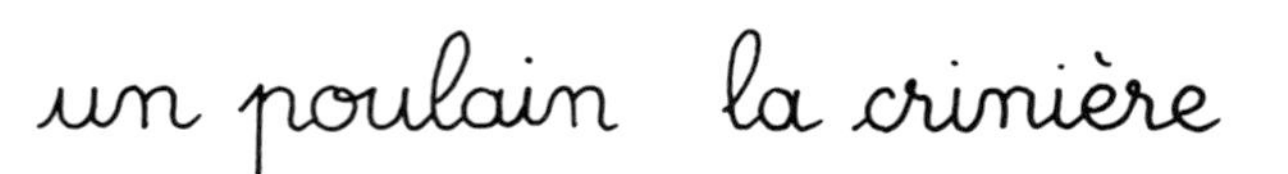

un poulain la crinière une selle l'écurie

le cheval

Le broute dans le pré
avec son petit .
Parfois, le fermier met une
sur le dos du , puis il part
se promener dans la campagne
Quand le galope, sa
est toute ébouriffée. La nuit,
le dort dans l' .

un agneau   un bélier   la laine   le berger

le mouton

Le fait paître le troupeau dans les pâturages. Le mange beaucoup d'herbe. Le petit du est un Il est tout frisé. Son papa a des cornes, c'est un En été, le tond le pour avoir de la .

un chevreau

une barbichette

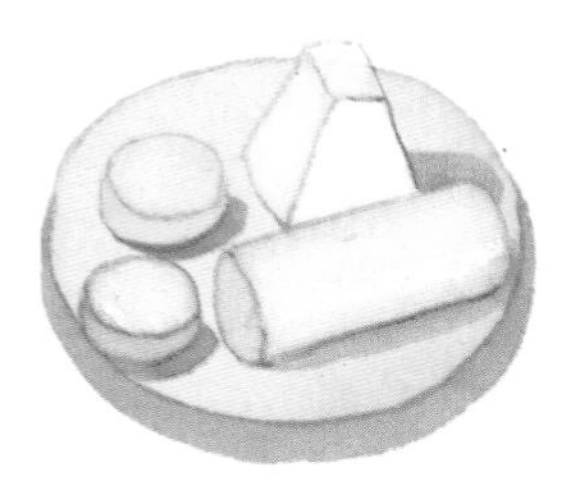

des fromages

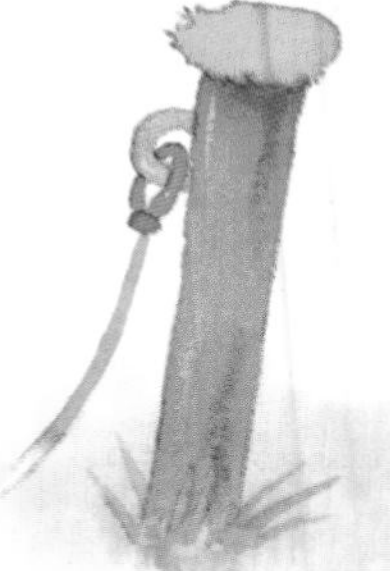

un piquet

la chèvre 

La est attachée au
Elle broute l'herbe du pré.
Le petit de la s'appelle
le . Il fait des cabrioles.
Son papa, le bouc, a une .
Tous les jours, le fermier trait
la . Avec le lait, il fait
de bons de .

un chevreau

une barbichette

des fromages

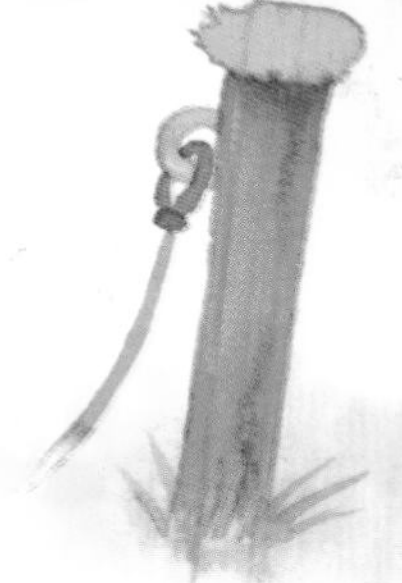

un piquet

les canetons

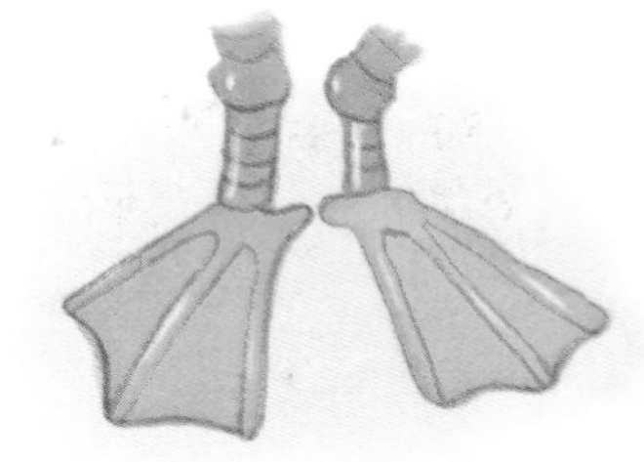

pieds palmés

nager

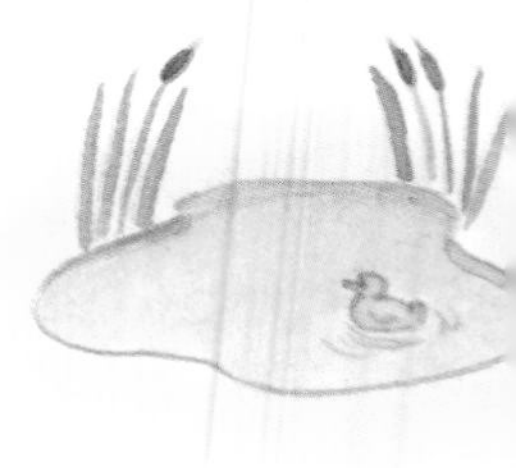

la mare

les lapereaux

les oreilles

une cage

des carottes

les poussins

les oeufs

le coq

le renard